La petite frousse de
Passepoil

À Susie, pour ton inspiration,
à Paul et à vos trois petites créations,
Benjamin, Jonathan et Léa
E. A.

À Jeanne
F.

**Catalogage avant publication
de Bibliothèque et Archives Canada**
Arsenault, Elaine
La petite frousse de Passepoil
Traduit de l'anglais.
Pour enfants.

ISBN 978-2-89512-610-2 (rel.)
ISBN 978-2-89512-611-9 (br.)

I. Fanny. II. Duchesne, Christiane, 1949- . III. Titre.

PS8551.R827P47 2007 jC813'.6 C2007-940159-7
PS9551.R827P47 2007

Directrice de collection: Lucie Papineau
Direction artistique et graphisme: Primeau & Barey

Dépôt légal: 3e trimestre 2007
Bibliothèque et Archives nationales du Québec
Bibliothèque nationale du Canada

Dominique et compagnie
300, rue Arran
Saint-Lambert (Québec)
Canada J4R 1K5
Téléphone: 514 875-0327
Télécopieur: 450 672-5448
Courriel: dominiqueetcie@editionsheritage.com

www.dominiqueetcompagnie.com

Imprimé en Chine
10 9 8 7 6 5 4 3 2 1

Nous remercions le Conseil des Arts du Canada de l'aide accordée
à notre programme de publication.

Nous reconnaissons l'aide financière du gouvernement du
Canada par l'entremise du Programme d'aide au développement
de l'industrie de l'édition (PADIÉ) pour nos activités d'édition.

Nous reconnaissons l'aide financière du gouvernement du Québec
par l'entremise du Programme de crédit d'impôt pour l'édition
de livres – SODEC – et du Programme d'aide aux entreprises du livre
et de l'édition spécialisée.

La petite frousse de Passepoil

Texte : Elaine Arsenault
Illustrations : Fanny
Texte français : Christiane Duchesne

Dominique et compagnie

Mademoiselle Madeleine boutonne la veste de Passepoil et lui
remonte le col jusqu'aux oreilles.
– Allons, Passepoil ! dit-elle. Il faut être à l'heure à ton rendez-vous.

C'est la première visite de Passepoil chez la vétérinaire : il est
un peu craintif. Il tourne les yeux vers Mitaine, sa souris chérie.
– Mitaine peut venir avec nous, dit mademoiselle Madeleine.

Ils descendent la rue en laissant tomber derrière eux quelques
boutons. Des rubans flottent dans leur sillage.

Dans la salle d'attente, mademoiselle Madeleine feuillette un magazine. Passepoil, assis à côté d'elle, balance nerveusement les pattes.

Monsieur Marcel attend avec Estelle, sa chatte tigrée. Le docteur Yip est une grande dame aux drôles de cheveux. Elle porte ses lunettes juste sur le bout de son nez.
– Estelle ? appelle-t-elle. C'est à ton tour.

D'un bond, la chatte saute des genoux de monsieur Marcel et, la queue battant fièrement l'air, elle suit madame Yip dans la salle d'examen.
– Mon Estelle est une brave petite chatte ! dit monsieur Marcel.

Lorsqu'elle revient dans la salle d'attente après s[...]
examen, Estelle regarde Passepoil d'un air hauta[...]

C'est au tour de Passepoil.
– Je t'accompagne ? demande mademoiselle
Madeleine.

Passepoil sent les yeux d'Estelle fixés sur lui.

«Non, j'y vais tout seul, car je ne suis pas un poltron», songe-t-il en suivant la vétérinaire dans la salle d'examen. Mais Passepoil n'est pas si courageux qu'il en a l'air. Heureusement, dans sa poche se cache... Mitaine.

– Enlève ton manteau, dit madame Yip. Je suis à toi tout de suite.

Elle sort de la salle d'examen et referme la porte. Derrière le paravent, des chemises sont rangées en piles parfaites. Passepoil se déshabille, suspend ses vêtements à une patère et enfile une chemise. Mitaine l'aide à l'attacher. Lorsqu'il revient devant le paravent, Mitaine le suit.

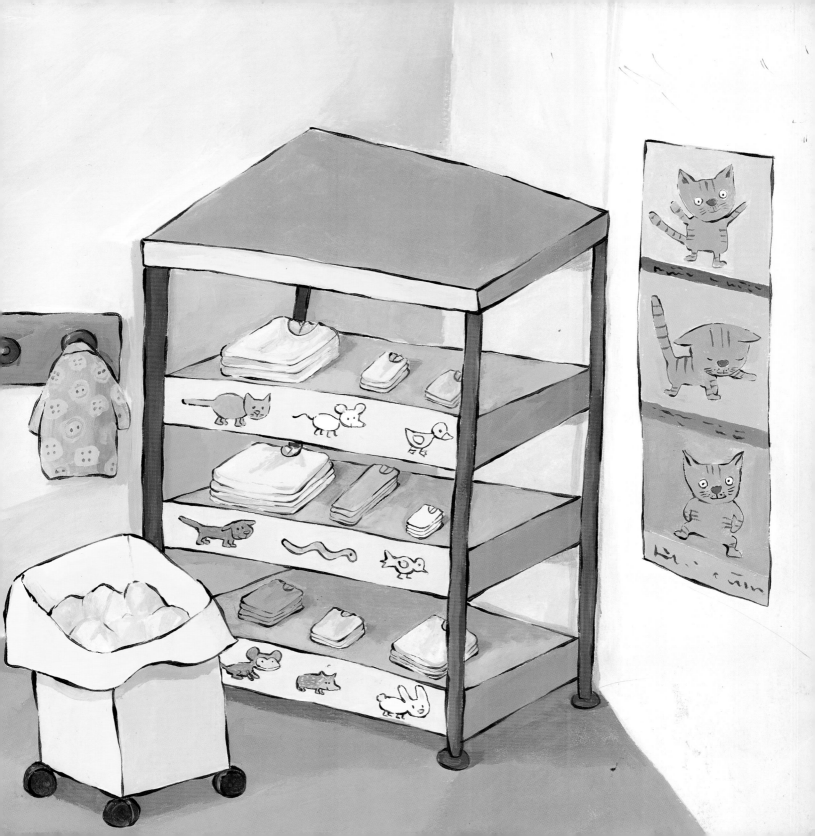

La queue au vent, Passepoil
et Mitaine sautent sur le tabouret
à roulettes. Ils traversent la salle
à toute allure et s'écrasent contre
une étagère où s'alignent des boîtes
de carton. Curieux, ils ouvrent les
boîtes d'où sortent des cotons-tiges,
des masques et des gants.

Ils se mettent des pantoufles
de papier sur la tête et des gants
aux pattes. «C'est trop rigolo!»
se dit Passepoil. Soudain, il lève
les yeux et se met à trembler
d'effroi. Là, sur le mur...

... des squelettes blancs, des dessins d'os. Des os d'animaux !
Pris de frissons, Passepoil recule. Au moment où la porte s'ouvre,
Mitaine court se cacher derrière le paravent.

Tout à coup, Passepoil se sent moins brave. Au cou de madame Yip
se balance un stéthoscope. Elle tient dans une main un bloc-notes
et, dans l'autre, un crayon.
– Commençons l'examen ! dit-elle.

Les oreilles de Passepoil pendent presque aussi
bas que sa queue. « L'examen ? » se demande-t-il.
– Monte sur la balance, dit madame Yip.

Elle fait coulisser le poids et griffonne quelque chose sur son bloc-notes. Puis elle sort de sa poche un ruban, mesure Passepoil du museau jusqu'au bout des pattes et note encore quelque chose.

– C'est très bien ! dit-elle, satisfaite.

« Ce n'était pas si terrible », se dit Passepoil. Tout confiant, il remue la queue.

Madame Yip fait ensuite asseoir
Passepoil sur la table d'examen. Elle
tire un thermomètre de sa poche,
le secoue quelques fois et prend la
température de Passepoil.
– Excellent! dit-elle.

« Elle a dit excellent! »
se dit Passepoil.

Madame Yip appuie le stéthoscope
sur la poitrine de Passepoil, et elle écoute
les battements de son cœur. Puis elle
le place dans son dos et lui demande
d'aboyer.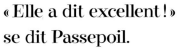

– Magnifique ! s'exclame-t-elle.
« Elle a dit magnifique ! » se dit-il.

Madame Yip attache
un bandeau noir autour
de la patte de Passepoil.
Elle gonfle le bandeau à
l'aide d'une petite pompe.
Ça serre très fort.

– Parfait ! dit-elle.
« Elle a dit parfait ! » songe
Passepoil, fier de lui.

Pendant ce temps derrière
le paravent, Mitaine souffle dans
les gants, comme si c'étaient
des ballons.

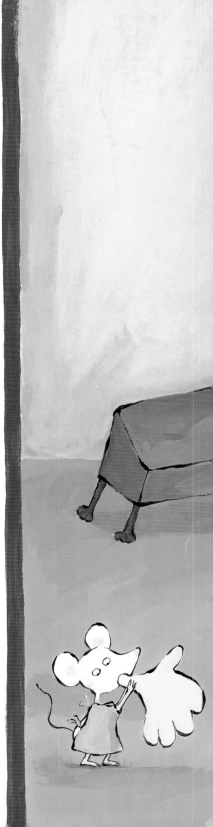

– Et maintenant, les radiographies, dit la vétérinaire.

Passepoil est intrigué. Madame Yip lui montre les dessins de squelettes d'animaux. Passepoil frémit d'horreur.
– Nous allons photographier tes os, tu les verras comme sur ces dessins, dit madame Yip. Je reviens dans un instant.

Passepoil a les genoux qui tremblent. Des gouttes de sueur perlent sur son front. Il voudrait s'enfuir ! Il entend de curieux petits bruits derrière le paravent. C'est Mitaine qui fait des nœuds dans les gants.

« Mitaine ! » Passepoil va vite rejoindre sa souris au milieu d'un monceau de ballons. Il la pousse de l'autre côté du paravent.

– Allons-y ! dit madame Yip.

Lorsqu'elle voit le minuscule animal qui se tient devant elle,
elle plisse les yeux. « Mais où sont passées mes lunettes ?
se demande-t-elle. Il a l'air tout petit, ce chien ! »

De sa cachette, Passepoil observe madame Yip prendre les
radiographies. Mitaine fait tout à la perfection. Elle se tient
droite, elle touche le sol, elle lève les pattes au-dessus de sa tête.
Clic, clic, clic, fait l'appareil.
– Voilà, l'examen est terminé ! dit la vétérinaire, songeuse.
Tu es un bon petit chien. Va rejoindre mademoiselle Madeleine.
Je viens vous voir dès que j'ai les résultats.

Mademoiselle Madeleine, Passepoil et sa souris sont assis confortablement dans la salle d'attente. Mitaine retourne vite dans sa cachette lorsque la vétérinaire les rappelle dans son bureau.
– Votre Passepoil est bien brave, dit madame Yip.

Mademoiselle Madeleine passe tendrement la main sur la tête de Passepoil.
– Vraiment très courageux ! dit encore la vétérinaire.

Très fier, Passepoil agite la queue.
– Bonne nouvelle, poursuit madame Yip, Passepoil est en parfaite santé.
Mais il y a une mauvaise nouvelle, ajoute-t-elle d'une voix plus grave,
en jouant avec son crayon.
– Une mauvaise nouvelle ? s'inquiète mademoiselle Madeleine, dont le cœur
vient de faire un bond.

Elle craint le pire.

Le dossier de Passepoil entre les mains, madame Yip dit :
– Oui. Passepoil a bien l'air d'un chien, mais si on se fie aux radiographies...
«Oh non ! se dit Passepoil. Pas les radiographies !»
– Je dois vous annoncer que... que Passepoil n'est pas un chien...

Mademoiselle Madeleine pose sur son petit chien un regard plein d'affection.
– Je sais bien, dit-elle, que Passepoil n'est pas comme les autres, mais...

Passepoil sourit, malgré son inquiétude.
– C'est un cas très rare, dit la vétérinaire. Je vais vous montrer.

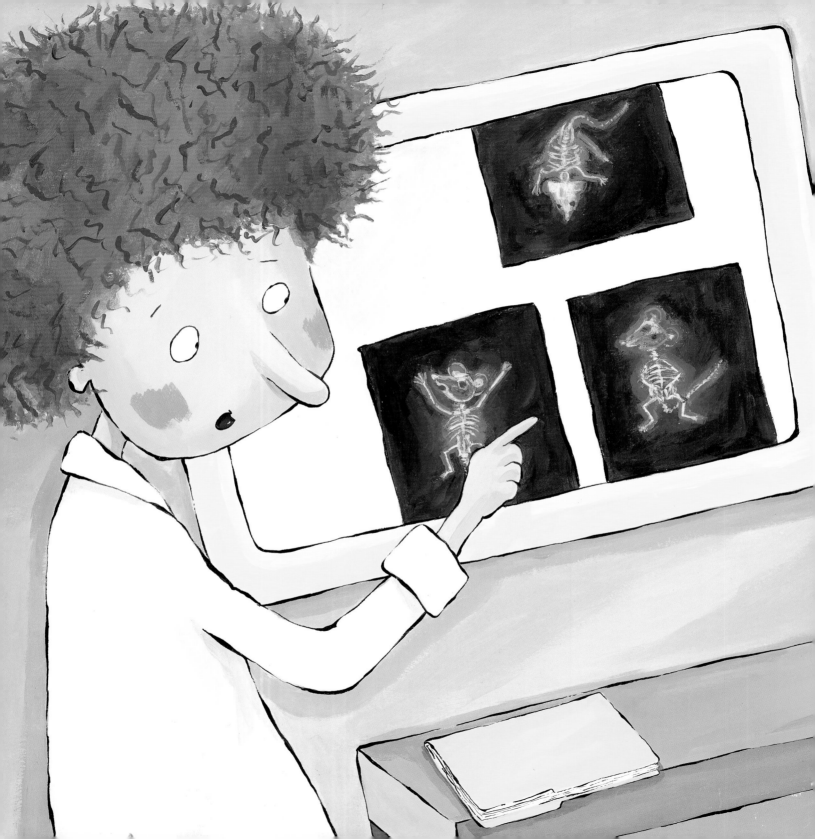

En regardant les radiographies, mademoiselle Madeleine reconnaît la petite silhouette de Mitaine.
– Passepoil est une souris ! déclare la vétérinaire.

Mademoiselle Madeleine regarde son petit chien.
– Passepoil, tu n'aurais pas quelque chose à montrer à madame Yip ?

Mal à l'aise, Passepoil fait sortir Mitaine de sa cachette. Madame Yip cherche ses lunettes. Elle les retrouve enfin… prises dans sa manche, et les pose sur le bout de son nez. Toujours vêtue de sa chemise verte, Mitaine la regarde en souriant.

– Voilà qui explique tout ! dit madame Yip. Passepoil n'est vraiment pas comme les autres, mais il n'est pas une souris, ça non !

– Peut-être pas une souris, mais une petite poule… mouillée ! dit mademoiselle Madeleine.

« Une petite poule mouillée ? se demande Passepoil en rentrant à la maison. Qu'est-ce qu'elle veut dire par là ? Je ne suis pas une poule, moi ! »

« Et surtout pas mouillée ! »